УДК 82-053.2
ББК 84(4)
К20

Max Kaplan, Lev Kaplan

EISBJÖRN

**Das unglaubliche Abenteuer
eines tapferen Mäuserichs**

Thienemann-Esslinger Verlag GmbH

Каплан, М.

К20   Свен – храброе сердце / Макс Каплан ; пер. с нем. Галины Эрли ; худож. Лев Каплан. – М. : ЭНАС-КНИГА, 2021. – 25 с. : ил. – (Сказки со счастливым концом).

ISBN 978-5-91921-776-3

История о маленьком храбром мышонке, который спас огромный корабль...

УДК 82-053.2
ББК 84(4)

Литературно-художественное издание
Для чтения взрослыми детям

Подписано в печать 01.02.2021. Формат 60×84¹/₈. Бумага мелованная. Гарнитура Myriad Pro. Усл. печ. л. 3,72. Доп. тираж 10 000 экз. Изд. № 1650/5. Заказ № 127100/1.
АО «ЭНАС-КНИГА». 115114, Москва, Дербеневская наб., 11. Тел. (495) 913-66-30.
E-mail: sekr@enas.ru http://www.enas.ru

• *facebook.com/enas.kniga*
• *instagram.com/enas.kniga*
• *vk.com/enas.kniga*
• *ok.ru/enas.kniga*

Отпечатано в типографии
SIA «PNB Print», Латвия
www.pnbprint.eu

EISBJÖRN
Text by Max Kaplan, illustrated by Lev Kaplan
© 2017 by Thienemann in Thienemann-Esslinger GmbH, Stuttgart
© АО «ЭНАС-КНИГА», 2021

0+

ISBN 978-5-91921-776-3

Макс Каплан • Лев Каплан

СВЕН-
храброе сердце

Москва
ЭНАС-КНИГА
2021

Осенний ветер – грустный ветер.
Он поднимает в воздух сухие листочки
и нагоняет серые тучи. Все живые существа
спешат укрыться от него.

Мышонок Свен продрог до костей. В этот
холодный день он мечтал лишь об одном –
найти тёплый ночлег. С трудом вскарабкался
Свен на высокий утёс, огляделся вокруг
и увидел на горизонте высокую-превысокую
башню. К ней прислонился скромный
маленький домик, из окон которого струился
уютный свет. «Там спасение!» – подумал Свен,
собрал последние силы и побрёл к домику.

Свен прижался к нагретым доскам двери.
А ветер завывал всё сильнее, всё громче.
Из-за этого свирепого воя мышонок даже
не расслышал чьих-то тяжёлых шагов.
И вдруг на него упала огромная тень.

– Ну и ну! Мышонок! – послышался
удивлённый голос.

Свен поднял мордочку и затрепетал.
Перед ним стоял старик огромного роста.

– Эй, приятель, да ты совсем замёрз
и, наверное, проголодался. Может,
войдёшь?

Человек протянул руку и открыл
дверь. Сердце мышонка колотилось
быстро-быстро, но из дома
веяло таким чудесным теплом,
что Свен не смог устоять
и проскользнул внутрь.

Человека звали Густав, он жил в домике рядом с огромной башней. Правда, это была не простая башня, а маяк, который показывал кораблям безопасный путь к берегу. В молодости Густав был моряком, а когда состарился, то перешёл служить смотрителем на маяк.

Пока за окнами бушевала буря, Густав досыта накормил Свена и смастерил ему тёплую морскую тельняшку. Человеку было одиноко, он радовался мышонку и оставил его у себя.

Дни шли за днями. И двое новых
приятелей всё крепче привязывались друг
к другу. Свен повсюду следовал
за Густавом. Старый смотритель
показал мышонку, как устроен
маяк и для чего он нужен.
Густав даже научил малыша
азбуке Морзе. Но больше
всего Свен полюбил вязать
крепкие морские узлы.
Этому он тоже научился
у Густава.

Как-то раз старый моряк поднялся на вершину маяка вместе с мышонком. В тот день сломалась антенна. Густав сунул Свена в карман и отправился её чинить. Наверху ветер был таким сильным, что сбивал с ног. Ледяной дождь больно хлестал моряка по лицу. Антенну сорвало ветром, и её нужно было закрепить. Свен изо всех сил помогал Густаву. Как трудно было мышонку держать тяжёлые провода под ударами безжалостного ветра! Но он справился, и, наконец, вдвоём они поставили антенну на место.

На следующий день Густав заболел. Утром он даже
не смог подняться с постели. Слишком много сил потратил
старый моряк! Свен заботливо ухаживал за своим другом,
смачивал водой тряпочки и прикладывал больному на лоб...
Вдруг раздался громкий треск радиоприёмника. Срочный
сигнал с корабля, который подходит к берегу! Свен побежал
к телескопу и заглянул в ночную мглу. Там, вдалеке,
он увидел свет. Мышонок бросился к Густаву и принялся
его тормошить. Но больной не просыпался.

И в этот момент мышонок понял: судьба целого экипажа зависит только от него! Если моряки не увидят сигнал маяка, их корабль врежется в берег и разобьётся о скалы! Но как помочь кораблю? Как зажечь маяк?

Свен вбежал в башню.
На вершину маяка вели
огромные ступени. И некому
было поднять мышонка наверх!
Да разве он сумеет забраться
туда один?

Пришлось Свену использовать всю свою смекалку.
Он притащил в башню нитки, спички и карандаши. Как
пригодились теперь мышонку уроки Густава! Крепкими морскими
узлами Свен стал быстро связывать спички и карандаши – и вот
уже лестница была готова! Свен начал взбираться наверх…

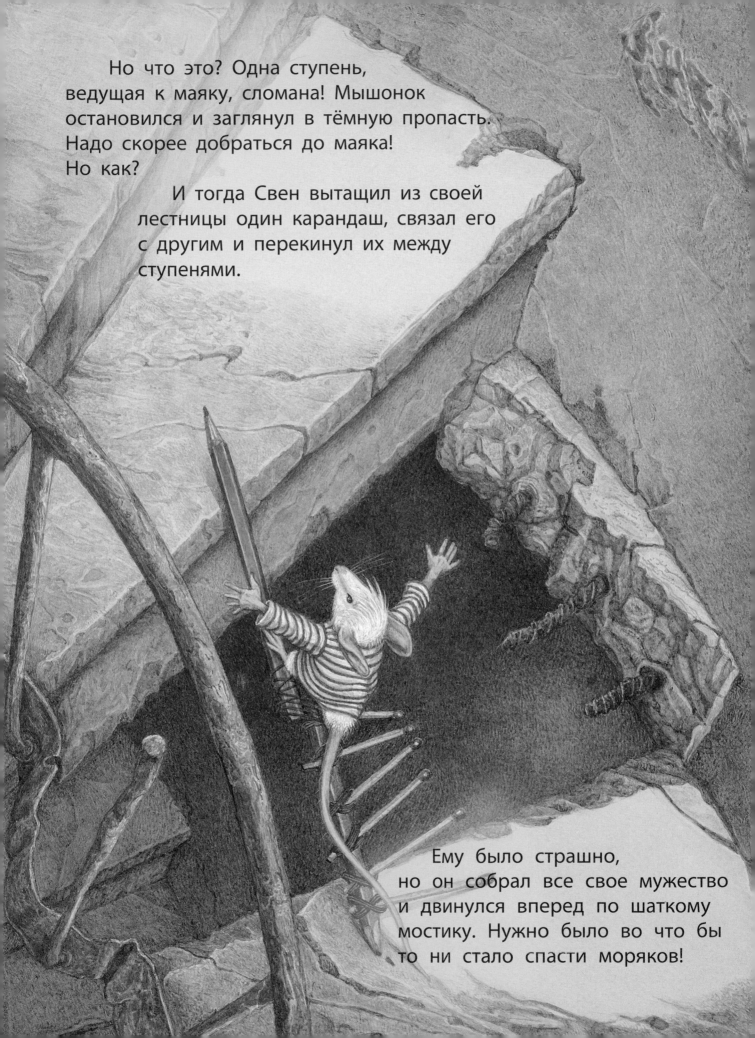

Но что это? Одна ступень,
ведущая к маяку, сломана! Мышонок
остановился и заглянул в тёмную пропасть.
Надо скорее добраться до маяка!
Но как?

И тогда Свен вытащил из своей
лестницы один карандаш, связал его
с другим и перекинул их между
ступенями.

Ему было страшно,
но он собрал все своё мужество
и двинулся вперёд по шаткому
мостику. Нужно было во что бы
то ни стало спасти моряков!

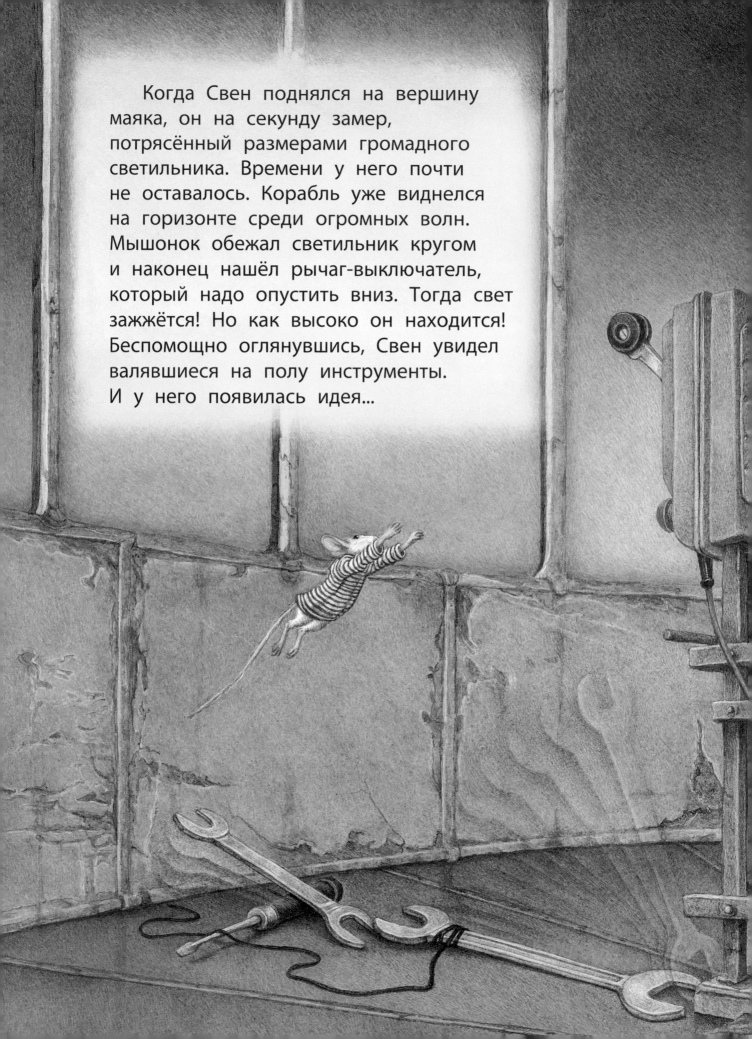

Когда Свен поднялся на вершину
маяка, он на секунду замер,
потрясённый размерами громадного
светильника. Времени у него почти
не оставалось. Корабль уже виднелся
на горизонте среди огромных волн.
Мышонок обежал светильник кругом
и наконец нашёл рычаг-выключатель,
который надо опустить вниз. Тогда свет
зажжётся! Но как высоко он находится!
Беспомощно оглянувшись, Свен увидел
валявшиеся на полу инструменты.
И у него появилась идея…

Получилось!
Вместе с мышонком
рычаг стал медленно
опускаться вниз.
Но свет не зажёгся!
Вместо этого послышался
сильный скрежет.
Что случилось?

Мышонок с трудом
вскарабкался на кожух
выключателя. Отсюда
были хорошо видны все
шестерёнки и колёсики
в механизме светильника
и ещё… старая тряпка,
зажатая между ними!
Она-то и не даёт маяку
заработать!

Недолго думая, Свен крепкими зубами оторвал подол своей тельняшки, скрутил из него верёвку и спустился по ней к застрявшей тряпке. А в этот момент совсем рядом послышался громкий гудок корабля. Моряки просят помощи! Нужно спешить!

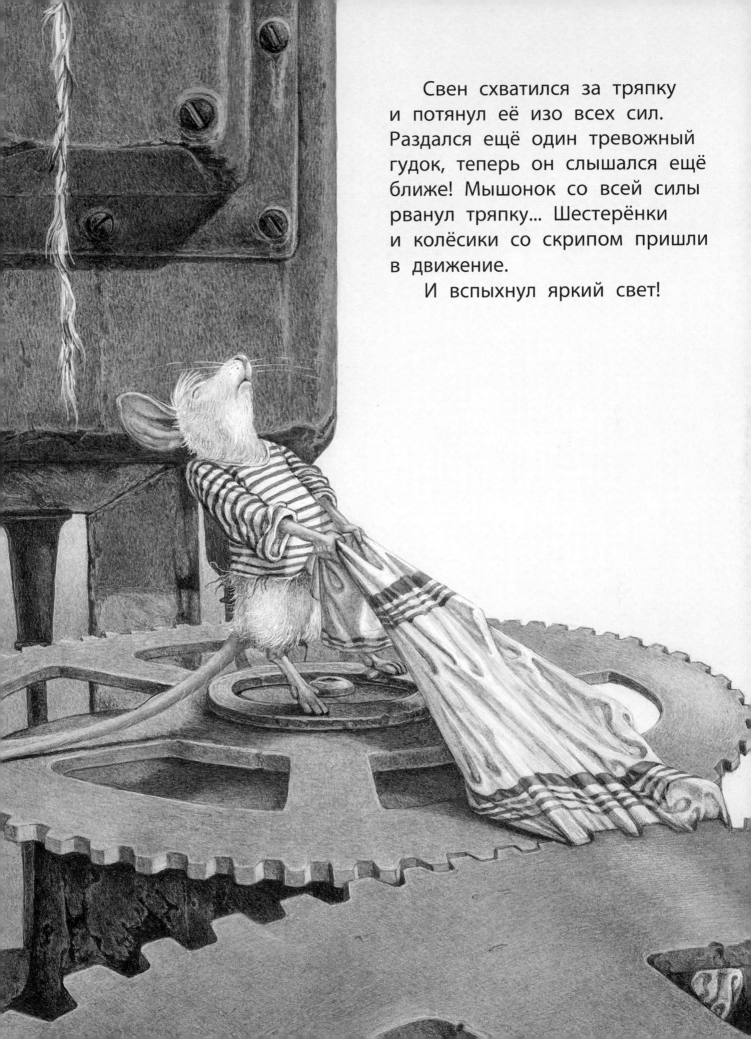

Свен схватился за тряпку
и потянул её изо всех сил.
Раздался ещё один тревожный
гудок, теперь он слышался ещё
ближе! Мышонок со всей силы
рванул тряпку... Шестерёнки
и колёсики со скрипом пришли
в движение.

И вспыхнул яркий свет!

Малышу показалось, что этот свет залил весь горизонт. С бьющимся сердцем мышонок бросился к стеклу и восторженно замахал лапками. Корабль на его глазах менял курс. Крушения не будет! Моряков удалось спасти!

Прошло несколько дней. Густав начал выздоравливать. Он долго не мог поверить в то, что произошло. В честь маленького героя старый моряк устроил торжественный ужин. Свен сидел во главе стола в капитанской фуражке. Её подарил мышонку капитан спасённого корабля.

И за ужином, когда мышонок лакомился кусочком вкусного сыра, Густав сказал ему:

— Ты маленький мышонок, но у тебя храброе сердце настоящего моряка!